中国工程建设协会标准

格网土石笼袋、护坡工程袋应用技术规程

Technical specification for application of gabion filled
with soil and stone as well as geo-bag for revetment

CECS 456：2016

主编单位：中国水利水电科学研究院
　　　　　北京万方程科技有限公司
批准单位：中国工程建设标准化协会
施行日期：2017年3月1日

U0331855

1551820021

中国计划出版社

2016　北　京

中国工程建设协会标准

格网土石笼袋、护坡工程袋
应用技术规程

CECS 456：2016

☆

中国计划出版社出版发行

网址：www.jhpress.com

地址：北京市西城区木樨地北里甲 11 号国宏大厦 C 座 3 层

邮政编码：100038　电话：(010)63906433(发行部)

廊坊市海涛印刷有限公司印刷

850mm×1168mm　1/32　1.25 印张　28 千字

2017 年 2 月第 1 版　2017 年 2 月第 1 次印刷

印数 1—2080 册

☆

统一书号：155182·0021

定价：15.00 元

中国工程建设标准化协会公告

第 265 号

关于发布《格网土石笼袋、护坡工程袋应用技术规程》的公告

根据中国工程建设标准化协会《关于印发〈2015 年第二批工程建设协会标准制订、修订计划〉的通知》（建标协字〔2015〕099号）的要求，由中国水利水电科学研究院和北京万方程科技有限公司等单位编制的《格网土石笼袋、护坡工程袋应用技术规程》，经本协会建筑与市政工程产品应用分会组织审查，现批准发布，编号为 CECS 456：2016，自 2017 年 3 月 1 日起施行。

中国工程建设标准化协会
二〇一六年十一月二十八日

前　言

根据中国工程建设标准化协会《关于印发〈2015 年第二批工程建设协会标准制订、修订计划〉的通知》(建标协字〔2015〕099 号)的要求,标准编制组经广泛调查研究,认真总结各地实践经验,参考有关国内外标准,并在广泛征求意见的基础上,制定本规程。

本规程共分为 6 章,主要内容包括:总则、术语、材料、设计、施工、验收。

本规程由中国工程建设标准化协会建筑与市政工程产品应用分会归口管理,由中国水利水电科学研究院负责具体技术内容解释。在执行本规程过程中,如有意见和建议,请将意见及有关资料寄送解释单位(地址:北京市海淀区复兴路甲 1 号,邮政编码:100038)。

主 编 单 位:中国水利水电科学研究院
　　　　　　北京万方程科技有限公司
参 编 单 位:山西省水利水电勘察设计研究院
　　　　　　中水北方勘测设计研究有限责任公司
　　　　　　河北省水利科学研究院
　　　　　　湖北工业大学
　　　　　　北京中水科工程总公司
主要起草人:沈承秀　黄啟明　白音包力皋　范惠生
　　　　　　李　想　于玉森　曾皋波　陈晏育　白素萍
　　　　　　陈兴茹　肖衡林　朱永涛　许　实　沈承芬
　　　　　　任敏康　刘　慧　叶建军　赵月芬　徐　阳
主要审查人:许　晔　朱晨东　孙景亮　方启通　刘树玉
　　　　　　刘凤霞　李京霞　高　冬

目　　次

Contents

1 总　　则

1.0.1 为规范格网土石笼袋和护坡工程袋两类材料在工程中的应用，为生产、设计、施工、验收等提供技术依据，做到技术先进、安全可靠、经济合理、施工方便，制定本规程。

1.0.2 本规程适用于海绵城市建设、河湖生态保护与修复、市政交通建设等工程采用格网土石笼袋、护坡工程袋的设计、施工和验收。

1.0.3 格网土石笼袋和护坡工程袋及其应用，除应符合本规程的规定外，尚应符合国家现行有关标准的规定。

2 术 语

2.0.1 格网网箱 gabion

将抗腐蚀、耐磨损、高强度材料采用专用设备制造而成的多孔机编网片,经裁剪、拼装并绑扎封口而成的正方体或长方体的箱体。

2.0.2 土石笼袋 geo-bag filled with soil and stone

由高强度、耐老化织造土工合成材料缝制而成的正方体或长方体的袋子,用于衬在格网网箱内填充土石料。

2.0.3 格网土石笼袋 geo-bag lined gabion

在格网网箱内衬土石笼袋,袋内充填土石料,形成具有固土、护坡、防冲、植生等功能的护砌结构。

2.0.4 护坡工程袋 geo-bag for revetment

以聚丙烯为主要原料的单面烧结非织造土工布加工而成的充填土料的袋子,用于建造利于植物生长的柔性护坡工程。

2.0.5 联结扣 jointing buckle

带有若干锥钉的聚丙烯平板构件,将护坡工程袋联结成整体。

2.0.6 等效孔径 equivalent opening size

土工织物的最大表观孔径,国内多用 O_{95} 表示。即在织物的大小孔隙中,有95%的孔径小于 O_{95}。

3 材 料

3.1 一般规定

3.1.1 格网土石笼袋和护坡工程袋的选用应根据工程特点、水文地质条件，并应遵循因地制宜、技术可行、经济合理且有利于生态保护与修复的原则。

3.1.2 格网土石笼袋和护坡工程袋宜用于建造柔性护坡或挡土结构。

3.2 格网土石笼袋

3.2.1 格网土石笼袋由格网网箱、土石笼袋以及土石混合填充物组成。

3.2.2 格网网箱由热镀锌低碳钢丝、热镀锌铝合金低碳钢丝，或具有 PVC 保护层的同质钢丝经机器编织而成的两绞或多绞状、六角形网目的网片组成。

3.2.3 格网网箱(图 3.2.3)高度宜为 0.2m～1.0m,当高度小于 0.4m 时,也可称作网垫;网箱长度大于 2.0m 时,顺长度方向宜采用间距不大于 1.0m 的网片分隔成多格箱体。

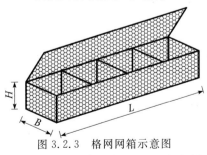

图 3.2.3 格网网箱示意图

L—网箱长度;*B*—网箱宽度;*H*—网箱高度

3.2.4 机编网钢丝的材质应符合现行国家标准《碳素结构钢》GB/T 700 的有关规定，机编网钢丝及镀层性能指标应符合表3.2.4-1的规定，机编网钢丝镀层质量及厚度指标应符合表3.2.4-2的规定。

表3.2.4-1 机编网钢丝及镀层性能指标

项	目	性能指标	检 测 标 准
钢丝	抗拉强度（MPa）	350～550	《金属材料 拉伸试验 第1部分：室温试验方法》GB/T 228.1
	断裂伸长率（%）	≥10	
镀层	均匀性	—	《镀锌钢丝锌层硫酸铜试验方法》GB/T 2972
	附着力	—	《金属材料 线材 缠绕试验方法》GB/T 2976
	质量	见表3.2.4-2	《镀锌钢丝锌层质量试验方法》GB/T 2973；《锌－5%铝-混合稀土合金镀层钢丝、钢绞线》GB/T 20492

表3.2.4-2 机编网钢丝镀层质量及厚度指标

钢丝直径（mm）	钢丝镀层类型				
	Ⅰ级（热镀锌钢丝）	Ⅱ级（热镀锌铝合金钢丝）		Ⅲ级（热镀锌铝合金钢丝）	
	镀层质量（g/m²）	镀层质量（g/m²）	镀层最薄处厚度（μm）	镀层质量（g/m²）	镀层最薄处厚度（μm）
2.0～2.2	≥220	≥250	≥25	≥350	≥42
2.3～3.0	≥250	≥275	≥30	≥450	≥50
3.1～3.3	≥265	≥300	≥30	≥520	≥56
3.4～4.0	≥275	≥320	≥32	≥550	≥60

注：1 表中3.1mm～4.0mm钢丝一般用作边丝；

  2 Ⅰ级钢丝连续盐雾试验200h，不应出现红锈；Ⅱ级钢丝连续盐雾试验1000h，不应出现红锈；Ⅲ级钢丝连续盐雾试验1500h，不应出现红锈。试验方法应按现行国家标准《人造气氛腐蚀试验 盐雾试验》GB/T 10125 的有关规定执行。

3.2.5 机编网钢丝镀层的类型应根据现行国家标准《堤防工程设

计规范》GB 50286 的有关规定选用：

1 临时性工程及 5 级堤防工程可选用表 3.2.4-2 中的Ⅰ级镀层钢丝；

2 2、3、4 级堤防工程宜选用表 3.2.4-2 中的Ⅱ级镀层钢丝；

3 1 级堤防工程宜选用表 3.2.4-2 中的Ⅲ级镀层钢丝；

4 多沙或水质受到污染的河道，可按表 3.2.4-2 中的规定提高一级选用。

3.2.6 当水质或土质受到较严重污染、或处在滨海环境时，机编网钢丝宜包裹 PVC 保护层，PVC 保护层材料性能指标及测试检验方法应符合表 3.2.6 的规定。

表 3.2.6　PVC 保护层材料性能指标及测试检验方法

项　　目	性能指标	检　测　标　准
抗拉强度（MPa）	≥20.6	《塑料　拉伸性能的测定　第 1 部分：总则》GB/T 1040.1
断裂伸长率（%）	≥180	
弹性模量（MPa）	≥18.6	《塑料拉伸和弯曲弹性模量试验方法》JB/T 6544
厚度（mm）	0.4～0.6	—
密度（kg/m³）	1.30～1.35	—
邵氏 D 硬度	50～60	—
脆化温度（℃）	≤−9	《硫化橡胶　低温脆性的测定　单试样法》GB/T 1682
抗磨损性能	—	《塑料滑动摩擦磨损试验方法》GB/T 3960

3.2.7 机编网箱边丝直径不应小于 3.1mm；网丝直径不应小于 2.3mm；拉筋、扎丝直径不应小于 2.0mm。

3.2.8 土石笼袋材料性能指标应符合表 3.2.8 的规定。

表 3.2.8　土石笼袋材料性能指标

项　　目	性能指标	检　测　标　准
材质	聚丙烯纤维或聚酯材料	—
抗拉强度（kN/m）	经向≥80，纬向≥65	《土工布及其有关产品　宽条拉伸试验》GB/T 15788
最大延伸率（%）	＜30	

项　　目	性能指标	检　测　标　准
CBR 顶破强度(kN)	≥6	《土工合成材料　静态顶破试验(CBR 法)》GB/T 14800
抗老化性能 (光照辐射强度 550W/m², 连续照射 150h)	强度保持率＞95%	《土工布及其有关产品　宽条拉伸试验》GB/T 15788
耐冻性能 (−40℃冷冻养护 6d, 在−40℃环境下测试)	强度保持率＞95%	
粘扣带宽度(mm)	50	—

3.2.9 土石混合填充物宜就地取材,可根据格网土石笼放置的不同部位,填充现场开挖的砂砾土、天然混合土等,有绿化要求时应填充适当厚度的种植土。

3.3 护坡工程袋

3.3.1 护坡工程袋性能指标应符合表 3.3.1 的规定。

表 3.3.1 护坡工程袋性能指标

项　　目	性能指标	检　测　标　准
单位面积质量(g/m²)	≥100	—
单位面积质量偏差(%)	≤6	—
抗拉强度(kN/m)	≥4.50	《土工布及其有关产品　宽条拉伸试验》GB/T 15788
最大伸长率(%)	35～100	
撕裂强度(kN)	≥0.14	《土工合成材料　梯形法撕破强力的测定》GB/T 13763
CBR 顶破强度(kN)	≥0.80	《土工合成材料　静态顶破试验(CBR 法)》GB/T 14800
等效孔径 O_{95}(mm)	≤0.20	《土工布及其有关产品有效孔径的测定干筛法》GB/T 14799

项　　目	性能指标	检　测　标　准
垂直渗透系数(cm/s)	≥0.18	《土工布及其有关产品　宽条拉伸试验》GB/T 15788
抗紫外线老化(500h)断裂强度保留率(%)	≥70	
耐冻融处理(−40℃,120h)断裂强度保留率(%)	≥80	

注:1　本表给出的是位于水上部分的护坡工程袋的性能指标;

　　2　位于水下或变水位部分的护坡工程袋抗拉强度指标不应小于 7.50 kN/m。

3.3.2　联结扣性能指标应符合表 3.3.2 的规定。

表 3.3.2　联结扣性能指标

项　　目	性能指标	检　测　标　准
锥钉高度(mm)	≥18	—
锥钉剪切强度(kN)	≥2.5	《塑料　拉伸性能的测定　第 2 部分:模塑和挤塑塑料的试验条件》GB/T 1040.2
拉伸断裂强度(MPa)	≥20	
断裂伸长率(%)	≥40	
弯曲强度(MPa)	≥30	《塑料　弯曲性能的测定》GB/T 9341

3.3.3　填充材料宜就地取材,并满足设计要求。有绿化要求时应填充适当厚度的种植土。

4 设 计

4.1 格网土石笼袋工程设计

4.1.1 工程布置及结构型式应综合考虑设计总体要求、工程及水文地质条件、施工条件以及景观绿化效果等因素,格网土石笼袋布置可采用重力式、阶梯式及贴坡式等型式(图 4.1.1),并设置防止水流冲刷、水土流失等工程措施。

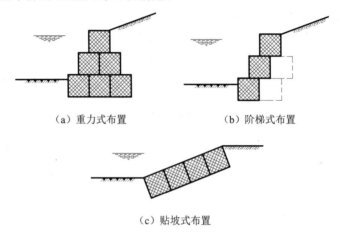

（a）重力式布置　　　　　（b）阶梯式布置

（c）贴坡式布置

图 4.1.1　格网土石笼布置示意图

4.1.2 格网土石笼袋挡墙工程设计应符合下列规定:

　　1 用于挡墙结构的格网土石笼袋厚度不宜小于 0.5m;

　　2 格网土石笼袋挡墙为柔性结构,能抵抗一定程度的基础变形,可不设沉降缝;

　　3 基础的埋置深度应结合地形、地质、地基土的冻胀性、水流冲刷等条件确定:

　　　　1)除基岩地基外,基础埋深不宜小于 0.5m;

2）基础宜埋置在地下水位以上；当需要埋置在地下水位以下时，应采取适当的施工措施；

3）当基础埋置在易风化的基岩上时，基坑开挖后应立即铺筑混凝土垫层；

4）基础底面应设置在计算冲刷深度之下 0.5m～1.0m，并应设置墙前护坦。

4 应按重力式挡墙结构设计，每层的错台宽度应符合现行国家标准《建筑地基基础设计规范》GB 50007 的有关规定，基础厚度不应小于 0.5m；

5 土质地基的后仰角度不宜大于 7°，岩石地基后仰角度不宜大于 12°；

6 挡墙宜逐层错台布置；

7 挡墙后回填料宜采用透水性能较好的材料；

8 可按现行行业标准《水工挡土墙设计规范》SL 379 的有关规定进行稳定性验算。

4.1.3 格网土石笼袋护岸工程设计应符合下列规定：

1 用于贴坡防护和护坦结构时厚度宜采用 0.2m～0.5m；

2 级别及设计标准应按现行国家标准《堤防工程设计规范》GB 50286 的有关规定确定；

3 格网土石笼袋护岸为柔性结构，能抵抗一定程度的基础变形，可不设沉降缝；

4 在河岸防护段的上、下游端部应设置伸入堤岸的齿墙，齿墙的深度不应小于设计冲刷深度以下 0.5m～1.0m，并设置墙前护坦，护坦长度不应小于 2.0 倍计算冲刷深度；受地形等条件限制时，河岸防护长度应向上、下游延伸，延伸长度可根据水流流态确定。

4.2 护坡工程袋工程设计

4.2.1 护坡工程袋应依据边坡坡度、高度确定垒砌方式，并符合下列规定：

1 坡比 $i \leqslant 1：1.5$ 的边坡,可采用直接将护坡工程袋顺坡平铺于坡面的方式；

2 坡比 $1：1.5 < i \leqslant 1：1$ 且高度小于 5m 的边坡,可采用常用垒砌方式（图 4.2.1-1）；

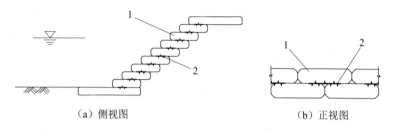

（a）侧视图 （b）正视图

图 4.2.1-1 常用垒砌示意图

1—护坡工程袋；2—联结扣

3 坡比 $i \geqslant 1：1$ 且高度小于 5m 的边坡,可采用"T"形垒砌方式（图 4.2.1-2）：

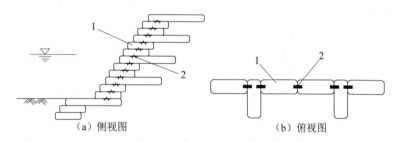

（a）侧视图 （b）俯视图

图 4.2.1-2 "T"形垒砌示意图

1—护坡工程袋；2—联结扣

4 坡比 $i > 1：1.5$ 且高度大于或等于 5m 的边坡,可采用分级垒砌方式,每级高度不应大于 3m,邻级错台宽度不应小于 0.5m；

5 高陡硬质边坡可采用覆网锚固垒砌方式,即在护坡工程袋外侧覆盖金属网或格栅网,利用锚杆将其固定在坡面上。

4.2.2 护坡工程设计应符合下列规定：

1 应根据工程特点及工程水文、地质等条件进行设计；

2 应合理选择护坡工程袋和联结扣的规格型号及性能指标；材料性能指标应符合本规程表 3.3.1 和表 3.3.2 的规定；

3 在水下或水位变动区有水动力作用情况下,护坡工程袋保土性应符合现行行业标准《水利水电工程土工合成材料应用技术规范》SL/T 225 中的有关规定,并应满足下式的要求：

$$O_{95} \leqslant n \cdot d_{85} \qquad (4.2.2\text{-}1)$$

式中：O_{95}——护坡工程袋等效孔径（mm）；

　　　d_{85}——被保护土的特征粒径（mm）；

　　　n——与袋内填土的类型、级配、织物品种和状态有关的经验系数,按表 4.2.2 的规定采用。

表 4.2.2　系数 n 值

袋内填土细粒 （$d \leqslant 0.075$mm）含量（%）	土的不均匀系数或土工织物品种		n 值
≤50%	$2 \geqslant C_u , C_u \geqslant 8$		1
	$4 \geqslant C_u > 2$		$0.5C_u$
	$8 > C_u > 4$		$8/C_u$
>50%	织造土工布	$O_{95} \leqslant 0.3$mm	1
	非织造土工布		1.8

注：对于动力作用和往复水流的情况,不论何种土类,n 值应采用 0.5。

填土的不均匀系数 C_u,应按下式计算：

$$C_u = d_{60}/d_{10} \qquad (4.2.2\text{-}2)$$

式中：d_{60}、d_{10}——土中小于各该粒径的土质量分别占总土质量的60% 和 10%。

4 护坡工程袋应用于自身稳定的坡体；

5 基础为软弱岩土层或不满足承载力要求时,应进行基础加固处理设计。

4.2.3 水下基础垫层可采用碎石、混凝土垫层等。

4.2.4 防冲部位可采用抛石护脚等技术。

4.2.5 护坡工程袋结构应具有一定透水和排水性能，当坡面汇水区域较大、地下水对坡体稳定性有不利影响时，应根据实际情况设置截水沟、排水沟等设施。

4.2.6 植物选择应从自然地理、护坡功能及景观要求等方面综合考虑，宜选择耐候性强、根系发达的多年生本地物种。

5 施　　工

5.1　格网土石笼袋工程施工

5.1.1　地基处理应符合设计要求。

5.1.2　基面上的树根、腐殖物等各种杂物应清理干净,清理范围应超出设计结构边线以外 500mm 以上,基面清理后应及时采取保护措施。基面当为淤泥、腐殖土等不良地层时,应采取相应工程处理措施。

5.1.3　格网土石笼袋组装与联结应按下列规定执行:

1　应展开网片,校准折缝,隔网与网身应成 90°拼放(图 5.1.3);

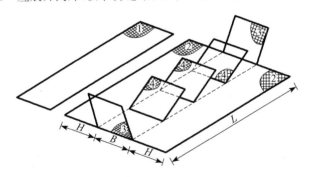

图 5.1.3　格网网箱展开示意图

1—网盖;2—网身;3—端网;4—隔网;

L—网箱长度;B—网箱宽度;H—网箱高度

2　应调整格网网箱平整度,填装土石笼袋,并将土石笼袋袋身底部撑展并与网箱绑扎牢;

3　格网土石笼袋网箱间的联结应符合下列规定:

　　1)格网网箱各角端均应与相邻格网网箱联结;

　　2)隔网与格网网箱之间的联结、上层格网网箱底面与下层网箱隔网及网盖四周之间的联结间距均不应大于200mm；

　　3）端网与格网网箱、网盖与格网网箱的联结间距均不应大于100mm；

　　4）相邻格网网箱间接触面应予以联结，联结点均匀分布，密度不应少于4处/m²。

5.1.4　土石料装填应结合工程的挖填平衡，装填土石料可选用当地土。应分层装填，用人工或机械夯实充满，避免装填后产生不平整现象。

5.1.5　封盖前，土石笼袋顶面应填充平整，然后将袋口向内折回，以粘扣带粘合，并以铁棒先行固定角端，再绑扎边框线与石笼网封盖。

5.2　护坡工程袋工程施工

5.2.1　护坡工程袋工程施工应按设计要求进行。

5.2.2　坡面及基础处理应符合下列规定：

　　1　施工前，应清除坡面浮石及杂物，坡面应基本平整、坚实；

　　2　应清除基槽内的树根、草皮、腐植物及淤泥等杂物，整平夯实；

　　3　当基础为软弱岩土层或局部存在软弱岩土层时，应采取置换、回填、加筋、夯实等加固处理措施，以满足承载力要求。

5.2.3　袋装土壤应符合下列规定：

　　1　宜选用理化性能良好、适宜植物生长的土壤；对于理化性能不好或不适合植物生长的土壤，应对土壤进行改良；

　　2　应用筛孔小于20mm的筛子将土壤过筛，去除杂物及大块颗粒。

5.2.4　袋体垒砌应符合下列规定：

　　1　袋体长边缝纫一侧和袋口绑扎或缝合一侧应朝向坡面隐蔽一侧垒砌；

2 应用扎口带或手持缝纫机进行袋体封口；

3 同层相邻袋体首尾紧密相接，袋体外侧应整齐、平顺；

4 上下层之间应错缝垒砌；

5 应将袋体垒砌，袋体与坡面间的回填土同步升高、逐层夯实；

6 砌体封顶宜将护坡工程袋长边垂直于坡顶线垒放；

7 护坡段首末两端应采取措施与原坡面或相邻建筑物紧密平顺相连。

5.2.5 整体坡面应保证平顺，转折处宜增设 T 形袋。坡体有地下水渗点时应增设导水管，或在袋内充填砂土类材料。

5.2.6 绿化种植应符合下列规定：

1 植物种植应根据工程特点及要求，合理选择喷播、压条和扦插等种植方式；

2 护坡工程袋垒砌完后，应尽快进行绿化；

3 种植前，应对袋体进行浇水，保持袋内土壤湿润；

4 种植后，应对植物进行养护，保证绿化效果。

6 验 收

6.1 格网土石笼袋工程验收

6.1.1 格网网箱、土石笼袋等材料应按本规程第3.2节的规定进行性能指标检查,验收合格后方可使用。

6.1.2 格网网箱材料试验可按现行国家标准《锌-5%铝-混合稀土合金镀层钢丝、钢绞线》GB/T 20492的有关规定执行。同生产批号、同规格、同交货状态的材料每10000套(件)作为一个检验批次,不足10000套按一个批次计。

6.1.3 基础验收可按现行国家标准《建筑地基基础工程施工质量验收规范》GB 50202的有关规定执行,基础质量检验标准应符合表6.1.3的规定。

表6.1.3 格网土石笼袋基础质量检验标准

检查项目	允许偏差	检查方法
地基承载力	设计要求	按规定方法
压实系数	设计要求	现场检测
分层厚度或基面高程(mm)	±30	水准仪

6.1.4 格网土石笼袋轮廓线、顶面高程与设计值的允许偏差为±100mm。

6.2 护坡工程袋工程验收

6.2.1 护坡工程袋材料应按本规程第3.3节的规定进行质量检查,验收合格后方可使用。

6.2.2 同生产批号、同规格、同交货状态的材料每10000套(件)应作为一个检验批次,不足10000套应按一个批次计。

6.2.3 护坡工程袋轮廓线、顶面高程与设计值的允许偏差为 ±50mm。

6.2.4 绿化种植及养护应满足设计要求。

本规程用词说明

1　　为便于在执行本规程条文时区别对待,对要求严格程度不同的用词说明如下:

　　1)表示很严格,非这样做不可的:

　　　　正面词采用"必须",反面词采用"严禁";

　　2)表示严格,在正常情况下均应这样做的:

　　　　正面词采用"应",反面词采用"不应"或"不得";

　　3)表示允许稍有选择,在条件许可时首先应这样做的:

　　　　正面词采用"宜",反面词采用"不宜";

　　4)表示有选择,在一定条件下可以这样做的,采用"可"。

2　　条文中指明应按其他有关标准执行的写法为:"应符合……的规定"或"应按……执行"。

引用标准名录

《建筑地基基础设计规范》GB 50007

《建筑地基基础工程施工质量验收规范》GB 50202

《堤防工程设计规范》GB 50286

《金属材料　拉伸试验　第1部分:室温试验方法》GB/T 228.1

《碳素结构钢》GB/T 700

《塑料　拉伸性能的测定　第1部分:总则》GB/T 1040.1

《塑料　拉伸性能的测定　第2部分:模塑和挤塑塑料的试验条件》GB 1040.2

《硫化橡胶　低温脆性的测定　单试样法》GB/T 1682

《镀锌钢丝锌层硫酸铜试验方法》GB/T 2972

《镀锌钢丝锌层质量试验方法》GB/T 2973

《金属材料　线材　缠绕试验方法》GB/T 2976

《塑料滑动摩擦磨损试验方法》GB/T 3960

《塑料　弯曲性能的测定》GB/T 9341

《人造气氛腐蚀试验　盐雾试验》GB/T 10125

《土工合成材料　梯形法撕破强力的测定》GB/T 13763

《土工布及其有关产品有效孔径的测定　干筛法》GB/T 14799

《土工合成材料　静态顶破试验(CBR法)》GB/T 14800

《土工布及其有关产品　宽条拉伸试验》GB/T 15788

《土工布及其有关产品　无负荷时垂直渗透特性的测定》GB/T 15789

《锌-5％铝-混合稀土合金镀层钢丝、钢绞线》GB/T 20492

《塑料拉伸和弯曲弹性模量试验方法》JB/T 6544

《水利水电工程土工合成材料应用技术规范》SL/T 225

《水工挡土墙设计规范》SL 379

中国工程建设协会标准

格网土石笼袋、护坡工程袋
应用技术规程

CECS 456：2016

条 文 说 明

目　次

1 总　　则

1.0.1 建设具有自然积存、自然渗透、自然净化功能的海绵城市是生态文明建设的重要内容,是实现城镇化和生态环境协调发展的重要体现,也是今后我国城市建设的重大任务。与当前的国家生态文明建设、生态系统保护与修复的迫切需求相比,城市河湖生态保护与修复技术缺乏相应技术规范的指导,导致众多水生态保护和修复工程在规划、设计、施工和验收等阶段面临着不同的困难。格网土石笼袋、护坡工程袋是在国内广泛应用的护坡材料,虽然应用多年,但是至今我国尚没有一部关于该材料的工程应用技术规范,使得设计、施工部门对于材料技术特性、使用要求以及验收规定等缺乏依据。总结和归纳格网土石笼袋、护坡工程袋的应用技术成果和应用经验,制定其技术规程,有利于进一步促进其发展,规范其在海绵城市建设工程中的应用。

1.0.2 格网土石笼袋、护坡工程袋的实际应用领域较广,除海绵城市建设、河湖生态保护与修复、市政建设领域外,还适用于矿山工程、交通运输工程等。

2 术　语

2.0.2 为增加非织造土工布的强度，可以采用针刺的长丝非织造土工布或长丝非织造土工布外加筋的复合材料。土石料主要有中低液限黏土、壤土、砂类土、砾石类土。冻结土、白垩土及硅藻土等严禁使用。

2.0.4 除采用聚丙烯为主要原料的单面烧结非织造土工布加工而成的袋子，也可以采用其他材料如聚酯、聚酰胺、聚乙烯醇材料制作，应通过性能价格比较后决定。护坡工程袋具有透水不透土的特点，同时袋体具有一定弹性和空隙，大部分植物根系能穿透进入，具有抗老化、抗紫外线等功能。

2.0.5 在国内工程实践中，有制作袋子时缝制捆绑带、垒砌时袋子之间用捆绑带联结的很多案例，捆绑带联结可以避免对袋体造成损伤。

3 材 料

3.1 一 般 规 定

3.1.1 格网土石笼袋具有柔性、透水不透土、适应地基变形的特点,有利于动物栖息、微生物生存和水质改善。

3.2 格网土石笼袋

3.2.2 机编网片网目见图1。

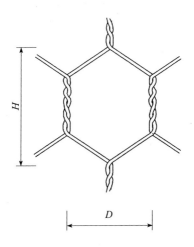

图1 机编网目示意图

常用网片规格、常用格网网箱规格见表1和表2,表中部分参数引自现行协会标准《生态格网结构技术规程》CECS 353。为了增加网箱刚度,减小土石料填放时网箱的变形,网箱长度较大时,需增设隔网网片进行加强。

表 1 常用网片规格

网孔尺寸 (mm)	网目 D(mm)	H(mm)	网丝直径 (mm)	边丝直径 (mm)	扎丝直径 (mm)
80×100	80 (±5%)	100 (±10%)	2.2/3.2	2.7/3.7	
100×120	100 (±5%)	120 (±10%)	2.5/3.5	3.0/4.0	2.2/3.2
130×150	130 (±5%)	150 (±10%)	2.7/3.7	3.4/4.4	
			3.0/4.0	3.9/4.9	

注:表中"/"前数值为钢丝直径,"/"后数字为覆 PVC 保护层后的钢丝直径。

表 2 常用格网网箱规格

长度(m)	宽度(m)	高度(m)	隔片(个)数	展开面积(m²)
3.0	2.0	0.20/0.25/0.30	2	14.8/15.5/16.2
4.0			3	19.6/20.5/21.4
5.0			4	24.4/25.5/26.6
6.0			5	29.2/30.5/31.8
3.0	3.0	0.20/0.25/0.30	2	21.6/22.5/23.4
4.0			3	28.6/29.75/30.9
5.0			4	35.6/37.0/38.4
6.0			5	42.6/44.25/45.9
1.5	1.0	0.5	—	5.5
2.0	1.0/2.0		1	7.5/13.0
2.5			1	9.0/15.5
3.0	1.0/2.0/3.0		2	11.0/19.0/27.0
3.5			2	12.5/21.5/30.5
4.0			3	14.5/25.0/35.5
5.0			4	18.0/31.0/44.0

长度(m)	宽度(m)	高度(m)	隔片(个)数	展开面积(m²)
1.0	1.0	1.0	—	6.0
1.5			—	8.0
2.0	1.0/2.0		1	11.0/18.0
2.5			1	13.0/21.0
3.0			2	16.0/26.0
3.5			2	18.0/29.0
4.0			3	21.0/34.0

3.2.5 本规程对不同镀层厚度的选择按工程的重要性进行了区分。

3.2.6 对水质、土质污染严重或位于滨海环境,推荐镀层钢丝包裹 PVC 保护层,但在严寒地区应谨慎使用。

PVC 保护层材料的耐盐雾性能和抗老化性应满足 3000h 盐雾曝光和紫外线曝光试验后,密度变化不超过 6%,邵氏硬度变化不超过 25%,抗拉强度变化不超过 25%,耐磨损性变化不超过 10%。

表 3.2.6 中部分参数引自现行协会标准《生态格网结构技术规程》CECS 353 的有关规定。

3.2.7 为了提高格网土石笼袋的整体强度,需要在格网的边缘设置直径大于网丝直径、起到架立作用的边丝,见图 2。

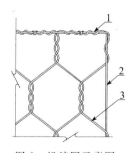

图 2 机编网示意图

1—端丝;2—边丝;3—网丝

3.2.8 土石笼袋常用规格有 1000mm × 1000mm × 1000mm 或 1000mm × 1000mm × 500mm（长 × 宽 × 高）两种。其他尺寸可根据需要定制。袋顶部四周和封盖四周均有 50mm 宽的粘结带。当用于水下时，要确保袋体的保土性。相关计算可按现行行业标准《水利水电工程土工合成材料应用技术规范》SL/T 225 反滤及排水的相关规定。

3.3 护坡工程袋

3.3.1 护坡工程袋常用规格为长度 810mm～1150mm，宽度 400mm～550mm。其他尺寸可根据需要定制。护坡工程袋等效孔径 O_{95} 应控制在 0.05mm～0.20mm 之间，若孔径太大则不利于保持袋内土壤，若孔径太小则不利于植物根系的生长。

3.3.2 联结扣常用规格为长度不小于 250mm，宽度不小于 100mm，联结扣锥钉高度不小于 18mm。

4 设 计

4.1 格网土石笼袋工程设计

4.1.1 在实际工程中,格网土石笼袋结构布置型式一般有重力式、阶梯式、贴坡式等,也可根据工程特点及使用功能进行自由组合,但应保证结构的安全稳定,箱体布置的层数和排数应通过稳定计算确定。

4.1.2 格网土石笼袋属于柔性结构,其计算理论有别于刚性结构,较为复杂。宜按现行行业标准《水工挡土墙设计规范》SL 379中规定的挡土墙计算理论计算,以此确定重力式和阶梯式网箱土石笼的断面尺寸。

格网土石笼袋作为贴坡防护时,边坡土体自身应是稳定的,且应在贴坡坡脚设置趾墙(基础),趾墙埋深同挡墙结构。护坡的滑动稳定验算应符合现行国家标准《堤防工程设计规范》GB 50286的有关规定。

4.2 护坡工程袋工程设计

4.2.1 覆网锚固采用的金属锚杆及金属网应做防腐处理,以保证其使用寿命。

4.2.2 位于水下的护坡工程袋抗冲流速最大值可按 3.0m/s 计。

4.2.5 必要时,护坡工程袋结构可适当增设排水管。

5 施 工

5.1 格网土石笼袋工程施工

5.1.3 土石笼袋与网箱绑扎固定时应采用耐腐蚀的金属绑丝或尼龙、塑料类绑绳。

5.1.4 土石料装填时,为防止箱体变形,宜采用木棍、钢管等对网箱进行临时绑扎固定,待填充物填满夯实后,再拆除支撑。填土宜采用人工夯实,压实度不宜低于 85%。

5.2 护坡工程袋工程施工

5.2.4 为避免缝合处崩开而造成土壤流失,袋体长边缝纫侧宜朝向坡面垒砌。

统一书号:155182·0021

定价:15.00元

CECS 456：2016

中国工程建设协会标准

格网土石笼袋、护坡工程袋
应用技术规程

Technical specification for application of gabion filled
with soil and stone as well as geo-bag for revetment

中国计划出版社